Os caiff hud ei fwrw
arna i byth,
Tyrd, fy ffrind gorau,
a'm rhyddhau'n syth.

Cyhoeddwyd gyntaf yn Saesneg yn 2009
gan Walker Books Ltd. 87 Vauxhall Walk, Llundai SE11 5HJ.
dan y teitl Princess, Fairy.

Y cyhoeddiad Cymraeg ©2009 Dref Wen Cyf.

Cyhoeddwyd yn Gymraeg 2009
gan Wasg y Dref Wen,
28 Ffordd yr Eglwys, Yr Eglwys Newydd,
Caerdydd CF14 2EA, Ffôn 029 20617860.

Argraffwyd yn China.

# TYWYSOGES, TYLWYTHEN DEG

DREF WEN

Roedd tywysoges mewn
gardd hudol yn chwarae
â'i phêl aur ...

pan syrthiodd ei phêl, *sblash!*
i'r dŵr a suddo'n ddwfn,
ddwfn o'r golwg.

Wedyn, ymddangosodd broga bach.

"Dywysoges, addo gusan i mi
ac fe ddof i o hyd i'r bêl i ti,"
crawciodd y broga.

"Dw i'n addo," atebodd hithau.

Ac felly plymiodd y broga i lawr,
i'r dyfnder mawr, ac yno
daeth o hyd i'r bêl aur …

a dod â hi'n ôl.

"Nawr rho gusan i mi
fel yr addewaist ti. Rho gusan i mi!"
crawciodd y broga.

Ond trodd y dywysoges ei chefn arno. "Alla i ddim rhoi cusan i ti; dim ond broga wyt ti. Hen froga bach hyll!" meddai hi

Ac aeth adref i'w phalas.

Ond yn y bôn, roedd y
dywysoges yn gwybod na ddylai
hi fod wedi torri ei haddewid.

Trueni na allai hi wneud iawn am hyn.
Yr eiliad honno, daeth
*cnoc! cnoc! cnoc!* ar y drws.

Y broga oedd yno!

"Plîs wnei di roi cusan i mi,

dywysoges," crawciodd.

"Gwnaf," meddai'r dywysoges,

"Fe wnaf i!"

Felly penliniodd y dywysoges
a chusanu'r broga, a dyma hud
a lledrith yn digwydd!

Cafodd yr hud ei dorri
a daeth y broga …

*yn dylwythen deg!*

Yn yr ardd hudol daw ein stori i ben.
Bu'r dywysoges a'r dylwythen deg fyw'n
hapus byth wedyn, yn ffrindiau gorau!

Mae gwybod hyn
yn well na dim -
bod cusan ffrind
yn hudol im.